An

Rédigée par Faustine

Madame Bovary

de Gustave Flaubert

Profil
Littéraire

STYLE ET ÉCRITURE

GUSTAVE FLAUBERT

- Né le 12 décembre 1821 à Rouen.
- Mort le 8 mai 1880 à Croisset.
- **Quelques-unes de ses œuvres :**
  - *Salammbô* (1862)
  - *L'Éducation sentimentale* (1869)
  - *Bouvard et Pécuchet* (1881)

Auteur phare du XIXᵉ, Gustave Flaubert n'appartient à aucun des grands mouvements littéraires qui s'épanouissent au cours de ce siècle. Il prend la plume dès son plus âge, dans les années 1830, au moment où le romantisme connaît son apogée avec Victor Hugo (1802-1885), notamment. Il ressent alors une certaine inclination pour le lyrisme personnel, c'est-à-dire l'expression libre des sentiments. Il en revient toutefois, non sans s'y être essayé et avoir reçu une appréciation négative de la part de deux de ses amis sur l'un de ses textes. Déstabilisé, mais non démotivé, il décide de forger sa propre esthétique, soit de mêler le vrai, par une observation scientifique des faits, au beau, par un travail intransigeant sur le style.

Il est, en raison de son attachement viscéral à la vérité, considéré de manière tout aussi rapide qu'erronée comme l'une des figures de proue du réalisme par la critique de son temps. Il faut dire que la place qu'il accorde dans son œuvre aux héros ordinaires et à la médiocrité en général, dont il fait l'un de ses sujets de prédilection, peut être trompeuse. Particulièrement talentueux, Gustave Flaubert offre à la littérature pas moins de quatre romans majeurs, parmi lesquels *Salammbô*, *L'Éducation sentimentale* et *Bouvard et Pécuchet*. Le plus connu est néanmoins *Madame Bovary*.

MADAME BOVARY

- **Genre :** roman.
- **1re édition :** d'octobre à décembre 1856 dans *La Revue de Paris*, puis en avril 1857 chez Michel Lévy.
- **Édition de référence :** *Madame Bovary*, Paris, Gallimard, 1972, 512 p.
- **Personnages principaux :**
  - Emma Bovary, épouse insatisfaite et adultère.
  - Charles Bovary, mari d'Emma, officier de santé à Tostes puis à Yonville-l'Abbaye.
  - Léon Dupuis, amant d'Emma, clerc de notaire à Yonville.
  - Rodolphe Boulanger, amant d'Emma, hobereau de la Huchette.
  - M. Homais, relation du couple Bovary, pharmacien à Yonville.
  - M. Lheureux, usurier et marchand de nouveautés à Yonville.
- **Thématiques principales :** l'insatisfaction chronique, l'illusion romantique, l'aveuglement, les mœurs de province et la bêtise humaine.

Publiée pour la première fois en 1856 dans *La Revue de Paris*, mais débutée en 1851, *Madame Bovary* est écrite à l'aube de la seconde moitié du XIXe siècle. L'époque est marquée par le règne autoritaire de Louis Napoléon Bonaparte (1808-1873), dit Napoléon III, qui instaure le Second Empire (1852-1870), par un culte prononcé, sur le plan idéologique, du progrès, ainsi que par l'essor, sur le plan artistique, du réalisme.

Traitant de la platitude de la vie et portant un regard ironique sur la bourgeoisie de province, au travers de l'histoire d'une femme adultère, le roman reçoit un accueil mitigé, sinon froid, de la critique et particulièrement hostile du pouvoir. Il vaut en effet à son auteur un procès pour offense aux morales publique et religieuse. Heureusement, Gustave Flaubert en sort acquitté et la postérité achèvera de le réhabiliter.

LA VIE DE GUSTAVE FLAUBERT

Giraud (Eugène), *Gustave Flaubert*, vers 1856, huile sur toile, 55 × 45 cm, Versailles, musée national du château de Versailles.

UNE ADOLESCENCE ENTRE MOTS ET ÉMOIS

Gustave Flaubert naît à Rouen, en Normandie, le 12 décembre 1821. Son père étant chirurgien en chef à l'hôtel-Dieu de la ville, il appartient à une famille bourgeoise d'honorable réputation. Il reçoit donc, conformément à la tradition de son milieu, une éducation soignée. Pour preuve, à l'âge de dix ans, il entre au Collège royal. L'établissement, fondé au XVIᵉ siècle afin que soit dispensé aux enfants de la noblesse un enseignement jésuite, est auréolé de prestige. Hélas, la discipline y est draconienne et le jeune Gustave rechigne quelque peu à s'y plier. Il se morfond aussi. Malgré ces désagréments, il n'en mène pas moins une scolarité studieuse et sans encombre. Il se passionne notamment pour l'histoire, et développe ensuite un goût marqué pour les lettres.

Dès 1834, il écrit plusieurs récits et crée un hebdomadaire titré *Art et Progrès*, qu'il rédige seul. Il ne cesse alors plus d'exercer sa plume. Parallèlement, il lit avec application l'ironique Voltaire (1694-1778), dont il apprécie particulièrement *Candide* (1759), et le romantique Walter Scott (1771-1832). Caressant peu à peu le rêve de devenir auteur au sens plein du terme, il s'imprègne de l'influence de ces illustres prédécesseurs jusqu'à composer un conte fantastique, *Bibliomanie*, qui est publié en 1837 par une revue littéraire de Rouen. Il enchaîne avec *Les Mémoires d'un fou* (1838), un roman teinté de pessimisme et de romantisme dans lequel il transpose ses premiers élans amoureux. En août 1840, après être passé par les classes de rhétorique et de philosophie, il est reçu au baccalauréat ès lettres.

Si les mots constituent son quotidien, tout au long de son adolescence, les emportements du cœur y forment des parenthèses enchantées. Sa mère, originaire de Pont-l'Évêque, une petite cité du pays d'Auge, possède des biens dans la station balnéaire de Trouville que fréquentent nombre d'artistes. Chaque été, elle s'y rend avec mari et enfants. Là, le jeune Flaubert aime à flâner pour savourer une liberté dont il est privé le reste de l'année. En 1834, il fait la connaissance de Gertrude et d'Henriette Collier, qui sont les filles d'un amiral anglais et des amies de sa sœur Caroline. Il s'attache rapidement à elles. L'expérience, bien que très superficielle, lui laisse un souvenir durable et lui donne l'envie de connaître un amour plus abouti.

Il voit se concrétiser son désir en 1836. Alors qu'il passe à nouveau la belle saison à Trouville, il rencontre, dans l'hôtel où il loge avec ses parents, une femme dont la beauté le chavire : Élisa Schlésinger (1810/1811-1888). Celle-ci devient immédiatement l'objet de ses convoitises. Mais elle est son aînée d'une dizaine d'années. Elle vit, en outre, maritalement avec un éditeur de musique, Maurice Schlésinger (1798-1871), qui se lie d'amitié avec Flaubert et le convie à leurs promenades. Bien qu'elle soit profonde comme jamais elle ne l'a été et comme jamais elle ne le sera plus, la passion qu'il éprouve reste donc secrète. Heureusement, l'écriture lui permettra par la suite de la raviver régulièrement. *L'Éducation sentimentale*, dont il existe deux versions, l'une achevée en 1845, l'autre en 1869, en témoigne.

| Statue de Gustave Flaubert à Trouville.

LA MATURITÉ ARTISTIQUE

En 1841, contre toute attente, Gustave Flaubert s'inscrit à la faculté de droit de Paris, répondant ainsi à la volonté de son père de le voir devenir juriste. Il travaille la matière, qui le rebute, avec persévérance mais peu d'implication jusqu'en 1843. Cette année-là, il échoue à ses examens. S'il n'envisage pas d'abandonner définitivement ses études, il repousse néanmoins l'échéance de leur reprise. Or, en janvier 1844, il est foudroyé par une violente crise nerveuse, tandis qu'il se rend à Deauville avec son frère Achille. Le problème de santé, que les spécialistes tiennent aujourd'hui majoritairement pour de l'épilepsie, est grave. Il récidive et le contraint à se soustraire à la vie active, au tumulte et à la passion. Plus rien désormais ne peut l'empêcher de se vouer entièrement à l'écriture.

Sa vocation entérinée par le sort, Gustave Flaubert poursuit la rédaction de la première *Éducation sentimentale*, entreprise un an auparavant. Puis il enchaîne avec celle de *La Tentation de saint Antoine*, suite à la découverte, à Gênes, en Italie, d'un tableau du même titre alors attribué à Brueghel l'Ancien (vers 1525-1569). Une fois l'œuvre achevée, il la soumet à l'appréciation des écrivains Louis Bouilhet (1821-1869) et Maxime Du Camp (1822-1894), qu'il compte parmi ses amis. Leur verdict tombe comme un couperet : les deux hommes sanctionnent sans ménagement son lyrisme débridé et lui suggèrent de choisir pour son prochain projet un sujet plus terre à terre. Le jeune auteur se résout par conséquent à changer radicalement de méthode. La maturité littéraire n'est pas loin.

L'œuvre qui inaugure cette nouvelle ère est *Madame Bovary*. Après avoir digéré sa déconvenue, Flaubert suit le conseil de ses amis et s'attelle à raconter l'histoire banale d'une femme adultère. Il commence son travail en septembre 1851. Mais, conscient de sa tendance à se laisser emporter par les élans de sa plume, il s'oblige à réfréner sa nature afin de faire coller, selon son désir, son style à la platitude de son sujet. L'œuvre ne paraît donc qu'à partir d'octobre 1856 dans *La Revue de Paris*. Scandaleusement novatrice, elle heurte la sensibilité de son siècle et fait l'objet d'un procès pour immoralité. Elle impose néanmoins immédiatement son auteur comme un écrivain à part entière et le distinguera ultérieurement comme le premier des romanciers modernes.

Éreinté par le labeur que lui a demandé ce livre et par les accusations dont il fut heureusement acquitté, Gustave Flaubert se plonge dans la rédaction de *Salammbô* jusqu'en 1862, année de sa publication. Il se propose, dans ce nouveau roman, d'exhumer l'antique Carthage. Il y parvient avec brio, en cédant librement à la tentation de l'épique, et s'attire de nombreux lecteurs. Il continue ensuite son cheminement artistique avec la composition de sa seconde *Éducation sentimentale*, sobre roman empreint de pessimisme, qui est quant à lui un relatif échec. Puis il reprend *La Tentation de saint Antoine*, qui sort en 1874, avant de s'attaquer simultanément à ses *Trois Contes*, qui paraissent en 1877, et à *Bouvard et Pécuchet*, publié à titre posthume en 1881. Il n'a en effet pas le temps de terminer cette dernière auscultation de la médiocrité puisque, le 8 mai 1880, il meurt subitement chez lui, à Croisset.

RÉSUMÉ DE *MADAME BOVARY*

L'UNION D'EMMA ROUAULT ET DE CHARLES BOVARY

Emma Rouault, fille d'un riche cultivateur normand, et Charles Bovary, officier de santé à Tostes, n'ont rien en commun. La première a été élevée au couvent, où elle s'est enivrée de romans sentimentaux, avant de retourner vivre avec son père dans leur propriété des Bertaux et de vaquer à de monotones occupations domestiques. Le second, quant à lui, a suivi de fastidieuses études de médecine, a commencé, sans réelle prise de décision, d'exercer son art, puis a épousé une veuve revêche par l'entremise de sa mère. Mais le hasard les fait se rencontrer l'un l'autre. Une nuit, alors que Charles est appelé au chevet de M. Rouault afin de remettre la fracture dont il souffre, il est immédiatement charmé par la demoiselle de la maison. Pourtant, il ne comprend que bien plus tard ce qui le ramène aussi souvent à la ferme des Bertaux. Plus perspicace et plus direct que lui, son patient lui arrache presque la demande en mariage qu'il s'était décidé à faire une fois devenu veuf.

La proposition de Charles étant acceptée par Emma, une date est fixée pour la noce. Celle-ci se déroule au printemps, en compagnie d'une foule de convives. Elle inaugure, pour la jeune femme, une autre existence, longtemps anticipée : sa vie d'épouse. Très vite après la cérémonie, le couple quitte les Bertaux afin de rejoindre Tostes, où il doit résider. Emma découvre le foyer qui sera désormais le sien et en prend possession ainsi que le dicte son nouveau statut. Elle s'emploie à y apporter de menues modifications, tout en dispensant ses attentions conjugales. Cependant, son quotidien ne concrétise pas ses rêves de félicité. Elle s'irrite des défauts de Charles et aspire à une existence voluptueuse au bras d'un homme plus raffiné. Heureusement, un bal chez le marquis d'Andervilliers la sort momentanément de sa mélancolie. Cependant, une fois terminé, il l'y replonge plus profondément encore en lui laissant le souvenir âpre de tout ce dont elle se sent privée. La gravité de son cas contraint le couple à déménager à Yonville.

UN ENGRENAGE INFERNAL

Le soir de leur arrivée à Yonville, Charles et Emma dînent à l'auberge du *Lion d'Or*. Le premier y est entrepris par M. Homais, pharmacien, sur l'exercice de la médecine, tandis que la seconde se livre à une discussion intime avec Léon Dupuis, jeune clerc de notaire. Le temps passe. Emma accouche d'une petite fille, qu'elle prénomme Berthe et qu'elle met rapidement en nourrice. Un jour, alors qu'elle est en chemin pour lui rendre visite, elle rencontre Léon et lui demande de l'accompagner. Les deux amis se rapprochent sous l'effet de leurs charmes respectifs, même s'ils n'en ont encore qu'une conscience indistincte. C'est donc insensiblement que Léon en vient à vouloir se déclarer. Sa timidité l'empêchant de le faire et Emma feignant l'indifférence après avoir elle-même saisi la nature de ses sentiments et s'être prémunie contre eux, il remâche son désespoir et décide de quitter Yonville pour Paris. La jeune femme, anéantie, laisse libre cours à sa fantaisie.

Un autre homme entre néanmoins rapidement dans sa vie : le hobereau Rodolphe Boulanger. Il fait la connaissance d'Emma chez elle, à l'occasion d'une consultation médicale, et remarque sa beauté. Séducteur invétéré, il se promet de la conquérir et s'attelle à cette tâche lors des comices agricoles : il s'isole avec sa proie et la courtise de manière éhontée. Sa stratégie est payante puisqu'elle finit par s'abandonner à lui après un nouvel assaut. Les deux amants se retrouvent désormais quotidiennement. Mais, au bout d'un moment, gagnée par la lassitude, Emma veut revenir à Charles et cherche des raisons de l'aimer. Elle pense que l'opération novatrice du pied bot d'Hippolyte, garçon d'écurie au *Lion d'Or*, pourrait lui en fournir une. Elle incite donc son mari à la tenter. Malheureusement, l'échec est tel qu'elle l'en méprise davantage et forme le projet de s'enfuir avec Rodolphe. Si ce dernier accepte, le jour du départ, pourtant, il quitte seul Yonville. Emma en tombe malade. Bien que s'étant endetté pour la soigner, Charles l'emmène à l'opéra de Rouen dès qu'elle va mieux. Là, le couple croise Léon.

UNE ISSUE FATALE

Déniaisé par son séjour à Paris, Léon est fermement résolu à posséder Emma. Aussi passe-t-il la voir à son hôtel. Les anciens amis se remémorent le passé et se font part de leur souffrance. Ils s'exaltent à un point tel que le jeune homme parvient à arracher un autre rendez-vous à Emma. Celle-ci se ravise une fois le jeune homme parti et lui écrit une lettre de refus. N'ayant pas son adresse, elle ne peut la lui expédier. Elle se rend donc au lieu convenu. Là, elle tente d'éviter tout dialogue. Léon, bien décidé, parvient cependant à la faire monter dans un fiacre, où elle lui accorde longuement ses faveurs. Emma, de retour à Yonville, apprend le décès de son beau-père. Tandis qu'elle prépare les affaires de deuil, l'usurier Lheureux se présente afin de faire renouveler une reconnaissance de dette et lui suggère d'obtenir une procuration sur les biens de Charles. Elle prend le prétexte de cette question à régler pour repartir à Rouen et visiter son amant.

Les retrouvailles d'Emma et de Léon sont exquises. Elles les attachent si bien l'un à l'autre qu'ils conviennent d'en faire un rituel hebdoma-daire. L'occasion leur en est fournie par la jeune femme, qui prétend vouloir prendre des leçons de piano. Les deux amoureux se fré-quentent ainsi chaque jeudi à Rouen, où ils cèdent librement à leur passion. Mais, un jour, M. Lheureux les rencontre ensemble. Il accule alors Emma à vendre l'un de ses biens pour rembourser ses dettes et à contracter d'autres emprunts. Cette dernière ne s'en abandonne pas moins follement à son désir. Elle finit cependant par en revenir, tout comme Léon. Rattrapée par ses ennuis financiers, sous le coup d'une saisie, elle lui demande de l'argent, avant de solliciter le notaire et le percepteur d'Yonville, puis Rodolphe. Elle n'obtient rien de personne. Accablée et désemparée, elle ingurgite de l'arsenic chez le pharmacien Homais. Charles assiste impuissant à sa lente agonie. Il est si affligé de sa mort qu'il ne lui survit que peu de temps, dans la solitude et le dénuement.

Page du manuscrit définitif de *Madame Bovary*.

| Extrait du manuscrit de *Madame Bovary*.

L'ŒUVRE EN CONTEXTE

LE CULTE DU PROGRÈS

Gustave Flaubert écrit *Madame Bovary* entre septembre 1851 et avril 1856. Or, cette période est marquée par un événement politique majeur : le coup d'État de Louis Napoléon Bonaparte. Ce dernier, élu de manière régulière à la présidence de la République le 10 décembre 1848, ne peut prétendre renouveler son mandat une fois qu'il aura pris fin. Il demande donc la révision de la Constitution à l'Assemblée législative. Ne l'obtenant pas, il dissout celle-ci le 2 décembre 1851 après avoir fait procéder à l'arrestation des chefs de l'opposition parlementaire. Son action est très largement plébiscitée. Le 2 décembre 1852, la IIe République cède la place au Second Empire et son prince-président se mue en Napoléon III.

Dès les premières heures de son règne, l'empereur instaure une politique autoritaire avec la volonté de juguler la liberté d'expression du peuple et de la presse. Partisan du saint-simonisme, une doctrine qui prône le progrès, il s'attache simultanément à servir le développement économique de la France. Il favorise ainsi la multiplication des lignes ferroviaires, au point que le réseau national compte 17 000 kilomètres de voies en 1870 contre 3 000 en 1848, et la création de la liaison maritime Le Havre-New York. Il soutient également la fondation du Crédit foncier et du Crédit mobilier. Les échanges commerciaux étant facilités, l'industrie connaît une importante phase de croissance et la bourgeoisie, qui avait déjà considérablement prospéré après la Révolution de 1789, assoit un peu plus encore sa suprématie.

L'enthousiasme du pays pour le progrès s'accompagne d'une foi inébranlable dans la science et dans sa méthode. Cette confiance se traduit par une doctrine largement partagée : le positivisme d'Auguste Comte (1798-1857). Le penseur, qui fut secrétaire du comte de Saint-Simon (économiste, 1760-1825), la répand au travers de son *Cours de philosophie positive*, publié de 1830 à 1842. Il y défend un système universel de connaissance dont la rigueur emprunte à la démarche scientifique. Il y incite ainsi à procéder à une observation objective des faits dans tous les domaines du savoir et à découvrir, par l'expérience, les lois invariables qui régissent chaque phénomène. Sous son influence, les sciences humaines, la sociologie, la politologie, l'histoire et la psychologie, notamment, voient le jour et acquièrent peu à peu la dignité que nous leur connaissons aujourd'hui.

Le climat positiviste de l'époque n'est pas sans influencer Gustave Flaubert. Car, dans *Madame Bovary*, l'écrivain se propose d'ausculter le monde de manière clinique, de se faire l'observateur scrupuleux de sa médiocrité, afin d'alimenter par la littérature la connaissance de l'homme. Aussi s'inspire-t-il de faits réels et se documente-t-il massivement pendant son travail de rédaction. Il se penche par exemple sur les histoires de Delphine Delamare et de Louise Pradier, deux femmes adultères et dépensières, et se rend à un comice agricole, avec le souci d'exposer pleinement la vérité d'une telle manifestation. Fruit de son temps, son approche scientifique de l'écriture est d'autant plus profonde qu'elle trouve également sa source dans son enfance. En effet, Gustave Flaubert ne passe-t-il pas les premières années de sa vie auprès d'un père médecin ?

L'ESSOR DU RÉALISME

La seconde moitié du XIXe siècle se caractérise, outre par son engouement pour le progrès et la science, par l'essor d'un mouvement artistique majeur : le réalisme. Dans les décennies qui la précèdent, c'est le romantisme qui imprime sa marque au gros des productions picturales et littéraires. Celui-ci privilégie l'imagination à l'analyse et le sentiment à la raison. Ses principales figures de proue sont les peintres Théodore Géricault (1791-1824) et Eugène Delacroix (1798-1863), les écrivains Alphonse de Lamartine (1790-1869) et Victor Hugo. Avec ces deux derniers, le lyrisme engagé l'emporte peu à peu sur le lyrisme personnel. Mais la révolution de 1848, qui ne concrétise pas l'union tant espérée du peuple et de la bourgeoisie, entame douloureusement leur confiance en l'homme. Le romantisme perd alors de son influence et est remplacé par le réalisme.

Ce mouvement vise quant à lui à offrir une représentation minutieuse et objective du monde, au plus proche de la vérité. Pour y parvenir, il rompt radicalement avec le culte de l'individualité et refuse toute poétisation. Il s'intéresse ainsi de préférence au peuple et à la banalité de son quotidien. Il s'exprime dans les tableaux de Gustave Courbet (1819-1877) et dans les romans de Stendhal (1783-1842), entre autres. Bien qu'imprégnant déjà l'art avant 1850, il n'est encore qu'un mouvement sans mot d'ordre et sans appellation officiels lorsque Gustave Flaubert entreprend la rédaction de *Madame Bovary*. En effet, il n'est théorisé de manière formelle qu'en 1857 par l'écrivain Champfleury (1821-1889), qui publie cette année-là un manifeste intitulé *Le Réalisme*.

Un auteur, plus que les autres, annonce le réalisme, tandis que le romantisme teinte encore largement de sa sensibilité la création artistique. Il s'agit d'Honoré de Balzac (1799-1850). Il est le premier à s'appliquer, loin des tentations idéalistes, à une description attentive du réel et à placer l'étude sociale au cœur de ses ambitions littéraires. En 1833, par exemple, il publie *Eugénie Grandet*, l'histoire d'une jeune fille sous l'emprise d'un père avaricieux. Il y scrute la bourgeoisie de province et y rend compte de manière détaillée de ses mœurs. Sa *Comédie humaine*, titre sous lequel sont regroupés tous ses romans, s'impose alors comme une fresque édifiante de

la société française de 1789 à 1848. Gustave Flaubert, qui s'ingénie, dans *Madame Bovary*, à peindre les choses telles qu'elles sont,
est tenu pour son continuateur.

Certes, il partage avec Balzac de similaires prétentions artistiques.
Mais, ayant sa propre conception du roman, il s'inscrit dans sa lignée
très librement. Aussi la critique se fourvoie-t-elle lorsqu'elle le donne
hâtivement pour un écrivain réaliste. Le souci de l'objectivité qui
l'anime ne peut être remis en cause ; Gustave Flaubert le revendique
lui-même. Cependant, il conteste son appartenance à quelque école
que ce soit et à plus forte raison à celle du réalisme. Car la quête du
beau, à savoir le travail du style, égale, selon lui, l'aspiration au vrai.
Madame Bovary, premier des romans dans lequel il réfrène son pen-
chant pour le lyrisme, sans abandonner toute exigence esthétique,
est par conséquent d'une modernité inclassable.

ANALYSE DES PERSONNAGES

EMMA BOVARY

Emma Bovary est l'héroïne du roman : elle lui donne son nom et le lecteur suit pas à pas l'évolution de ses sentiments, au plus près des mouvements de sa conscience. Elle se révèle être une jeune femme de bonne condition, que son éducation a irrémédiablement corrompue. S'étant abreuvée durant sa scolarité de lectures et d'images sentimentales sans aucun recul critique, elle ne rêve que d'amour passionné et de félicité éternelle. Elle abomine par conséquent le quotidien, toujours trop médiocre, ennuyeux et décevant à son goût, et espère inlassablement y voir survenir un événement qui l'en extraira. Elle croit dans un premier temps que le mariage est cet événement, mais, très vite, face à la rusticité de son époux, elle se rend compte de sa méprise. Elle se jette alors à corps perdu dans l'adultère, avec deux amants successifs. À chaque fois, cependant, la réalité reprend le dessus sur les illusions des débuts et l'insatisfaction la taraude plus dangereusement encore. Incapable d'accepter la banalité de l'existence, Emma oscille constamment entre l'exaltation et la mélancolie, et flirte avec l'excès. Elle met ainsi fin à ses jours par un geste fatal, qui semble être la seule issue possible.

CHARLES BOVARY

Charles Bovary est le mari d'Emma. Il l'épouse en secondes noces, après un veuvage. Il se distingue dès le début du roman par son manque de relief. Il apparaît en effet comme un élève effacé, qui est la risée de sa classe sans même tenter d'y remédier. Et il n'est pas plus affirmé une fois adulte. Il devient officier de santé non pas par ambition personnelle, mais pour satisfaire celle de sa mère. Il ne s'oppose, en outre, jamais aux tocades d'Emma. Charles est d'autant plus inconsistant que peu de choses l'émeuvent vraiment. Après l'échec de l'opération du pied bot d'Hippolyte, dont il est responsable, il est bien moins tourmenté par le malheur du jeune homme que par le rejet d'Emma. Ainsi seule cette dernière le préoccupe-t-elle véritablement. Le pauvre bougre se rengorge de l'avoir pour femme, elle qui est si parfaite à ses yeux et dont le moindre des talents l'émerveille, et se complaît dans le bonheur que lui procure son union, au point de lui devenir intolérable. Désespérément aveugle, il ne s'aperçoit d'aucune de ses infidélités et ne sent pas le mépris qu'il lui inspire. Désespérément amoureux aussi, ce qui explique en partie sa cécité, il exprime une sincère douleur à sa mort. Il acquiert alors, tardivement, une relative profondeur.

LÉON DUPUIS

Léon Dupuis est le second amant d'Emma, mais le premier homme pour lequel elle éprouve des sentiments après s'être mariée. Clerc de notaire à Yonville, il appartient à la petite bourgeoisie de province. Il est délicat, rêveur et mélancolique, à l'instar de la jeune femme, si bien qu'il ressent d'emblée des affinités avec elle. Comme il est peu expérimenté et mal assuré, il n'ose pas lui déclarer son amour une fois qu'il en a pleinement pris conscience. Ressassant son amertume, il décide de partir à Paris afin d'y terminer son droit. Là, il mène sa vie avec toute la modération qui le caractérise, mais il n'en fréquente pas moins les grisettes, c'est-à-dire les filles modestes aux mœurs légères. Il en retire une confiance qui le rend plus volontaire. Aussi est-il bien décidé à conquérir Emma, lorsqu'il la rencontre par hasard à l'opéra de Rouen. Il parvient à ses fins et s'abandonne passivement au plaisir de ses tête-à-tête avec elle. Très vite, cependant, il s'effraie de son comportement et redoute de se compromettre, car il aspire à une belle situation ainsi que le lui dicte son milieu. Mais la mollesse, dont il ne se départ pas du début à la fin du roman, l'empêche de rompre.

RODOLPHE BOULANGER

Rodolphe Boulanger est le premier amant d'Emma. Il est le hobe-reau, soit le propriétaire, du domaine agricole de la Huchette, situé près d'Yonville. Il y vit en célibataire, mais il a une longue expérience des choses de l'amour, car il a le goût de la conquête sentimentale. Séducteur invétéré, il fait instantanément d'Emma l'objet de ses convoitises et se met au défi de la posséder. Il y arrive sans trop de difficultés, en fin stratège, grâce à l'intuition qu'il a de ses désirs et à sa capacité à y répondre. Sa perspicacité est néanmoins restreinte. En effet, Rodolphe ne perçoit pas, sous les élans qu'elle a vers lui lors de leurs rendez-vous, la sincérité de la jeune femme. Il ne voit que son exaltation, nécessairement factice de son point de vue. C'est que, revenu de tout, il est d'un cynisme irréformable. Il ne considère la passion que comme un jeu et n'accepte de s'y livrer que tant qu'il lui plaît. Ainsi prend-il peur face à l'empressement que sa maîtresse manifeste à son égard et l'abandonne-t-il bien qu'il lui ait laissé croire qu'il s'enfuirait avec elle. Calculateur, blasé, lâche en outre, il ne présente donc aucune des qualités qu'Emma aspire à trouver chez son idéal masculin.

M. HOMAIS

M. Homais est pharmacien à Yonville. Il est aussi accessoirement cor-respondant pour *Le Fanal de Rouen*, un quotidien régional. Bien que déjà fort pris par ces deux occupations, il trouve le temps de pra-tiquer la médecine en catimini dans son officine alors qu'il n'en est pas diplômé. Il faut dire que l'homme ne doute pas de lui. Il est le type même du fat, qui se gargarise de sa science et de ses propos. Il émaille souvent ceux-ci de mots savants, de termes latins ou d'emprunts à l'anglais qui les rendent ridiculement pompeux. Mais, malgré la fierté avec lesquels il les énonce, il ne véhicule que des idées reçues et n'émet que des jugements à l'emporte-pièce. Il en va ainsi de ses points de vue sur le progrès et sur la religion. Anticlérical par pose, plus que par principe, il ne manque jamais une occasion de bousculer Bournisien, le curé du village, ou de railler la foi catholique sans subtilité ni mesure. Son défaut le plus odieux, cependant, est qu'il est intéressé. Son obligeance à l'égard de Charles a pour seul objectif que ce dernier ne s'élève pas contre sa concurrence. Habile dans ses manœuvres, l'apothicaire parvient à ses fins en obtenant la croix d'honneur.

ANALYSE DES THÉMATIQUES

L'INSATISFACTION CHRONIQUE

L'insatisfaction chronique, liée à l'inaptitude à s'accommoder de la médiocrité du quotidien, est le thème central de *Madame Bovary*, celui qui préside à sa rédaction. Car Gustave Flaubert se propose d'y exposer les méandres de l'âme humaine, plutôt que d'y narrer de multiples péripéties. Il répond si bien à son objectif que le substantif *bovarysme*, créé par le philosophe Jules de Gaultier (1858-1942) à la fin du XIXᵉ siècle d'après l'œuvre, désigne aujourd'hui communément l'état psychologique que décrit l'écrivain. Le personnage que cette insatisfaction affecte est Emma. La jeune femme est en effet sans cesse déçue par l'existence, qui ne lui apporte, de son point de vue, aucun des bonheurs qu'elle en attend. Elle aspire à vivre avec un homme brillant, or Charles est d'une platitude effarante. Elle rêve de se perdre dans le tumulte et le faste parisiens, or elle habite Yonville, petit bourg de province où jamais rien ne se passe. Elle espère enfin connaître un amour absolu, or Rodolphe et Léon, ses amants successifs, sont incapables de la faire passer avant leur propre intérêt. Au fur et à mesure que les déconvenues s'accumulent, elle souffre de plus en plus douloureusement de la frustration. Elle y est cependant naturellement encline. Ainsi dresse-t-elle à propos d'elle-même, bien avant d'avoir connu toutes les désillusions énumérées, ce constat d'une violente amertume :

> « Mais elle, sa vie était froide comme un grenier dont la lucarne est au nord, et l'ennui, araignée silencieuse, filait sa toile dans l'ombre à tous les coins de son cœur. » (p. 76)

Emma a, en raison de son mécontentement intrinsèque, une propension à enjoliver le passé et à sublimer la réalité des autres. Refusant d'accepter que la banalité soit une composante inaliénable de la condition humaine, elle regrette son enfance et sa scolarité au couvent, perçue ultérieurement comme une période heureuse et prometteuseoù tout pouvait encore se jouer. Elle tient aussi la destinée des artistes pour nécessairement supérieure, pour semi-divine même, puisque menée « entre ciel et terre » (p. 93). Afin d'étouffer le tourment qu'elle ressent de ne pas voir ses idéaux se concrétiser, elle cherche des échappatoires possibles. Elle pallie notamment sa détresse par la consommation et par la fuite. Ne forme-t-elle pas dans un premier temps le projet de quitter Yonville avec Rodolphe, avant de céder ultimement à sa volonté récurrente de se dérober par la mort ?

Les marques de l'insatisfaction chronique dont souffre Emma se retrouvent donc dans l'intégralité du roman, d'autant plus que ce défaut caractérise également un autre personnage : Léon Dupuis. Le clerc de notaire est en effet habité par le même sentiment de vide que sa maîtresse et tente d'y remédier par les mêmes expédients réels ou imaginaires, à savoir le départ et le désir de mort. Il s'impose de ce fait comme son pendant masculin. Une phrase, dont la construction symétrique est particulièrement éloquente, trahit la similitude des tempéraments des deux amants, également prompts à la lassitude : « Elle était aussi dégoûtée de lui qu'il était fatigué d'elle. » (p. 370-371)

L'ILLUSION ROMANTIQUE

L'insatisfaction d'Emma, tout comme son suicide, est conditionnée par la conception intransigeante qu'elle s'est forgée de la passion. Aussi y a-t-il une notion de déterminisme dans *Madame Bovary*. En effet, la jeune femme s'est délectée, enfant, de *Paul et Virginie* (1788), court roman sentimental de Bernardin de Saint-Pierre (1737-1814), et s'est nourrie, adolescente, des œuvres romantiques de Walter Scott. Ayant développé pour elles un goût prononcé, elle se grise, adulte, de celles de George Sand (1804-1876). Jamais, cependant, elle n'use de son esprit critique et ne remet en cause la validité de ce qui y est dépeint. La vision qu'elle a de l'amour en est, par conséquent, profondément affectée. Les sentiments ne peuvent, selon elle, se révéler que de manière intense et s'exprimer avec une infinie suavité, loin de toute médiocrité, dans des lieux propices tels que l'Italie. Les amants ne peuvent être que valeureux et les maîtresses dociles. Les clichés littéraires encombrent à tel point l'imaginaire d'Emma qu'elle ne sait répondre aux convoitises qu'ils ont fait naître en elle qu'en se conformant à eux. Il en est ainsi lorsqu'elle feint l'indifférence face à Léon, une fois qu'elle a pris conscience de son amour pour lui, afin de ne pas compromettre sa vertu. Mais ces clichés sont trompeurs, comme le prouve la citation suivante :

> « L'amour, croyait-elle, devait arriver tout à coup, avec de grands éclats et des fulgurations – ouragan des cieux qui tombe sur la vie, la boule-verse, arrache les volontés comme des feuilles et emporte à l'abîme le cœur entier. Elle ne savait pas que sur la terrasse des maisons, la pluie fait des lacs quand les gouttières sont bouchées [...]. » (p. 144)

Emma vit donc dans l'illusion que véhicule la fiction romantique. Détrompée par son aventure malheureuse avec Rodolphe, elle en revient néanmoins. Ne pense-t-elle pas, en effet, alors qu'elle assiste à la représentation de *Lucie de Lammermoor*, un opéra inspiré de Walter Scott, qu'elle « conna[ît] à présent la petitesse des passions que l'art exag[ère] » (p. 293) ? Mais sa lucidité ne dure qu'un temps puisqu'elle se jette dans les bras de Léon deux jours après le spectacle, avec l'espoir une fois encore de vivre un amour hors du commun.

À l'instar de sa maîtresse, le jeune homme est lui aussi le jouet de ses lectures, même si, à sa différence, il est prémuni contre tout excès par son ambition bourgeoise. Il ne distingue de la noblesse qu'en elles et ne s'exalte qu'à leur évocation. Son imagination s'est tellement enflammée à leurs pages qu'elle est envahie par les poncifs et qu'il a besoin d'appliquer leur couleur aux bonheurs qu'il expérimente afin de leur attribuer de la valeur. Ainsi Emma est-elle nécessairement pour lui un idéal, à savoir « l'amoureuse de tous les romans, l'héroïne de tous les drames, le vague elle de tous les volumes de vers » (p. 342). Ce n'est qu'à cette condition qu'il l'idolâtre. Très vite, cependant, les sentiments qui l'animent s'essoufflent, car la réalité vient démentir ses chimères, comme il en va toujours des délires romantiques dans *Madame Bovary*.

L'AVEUGLEMENT

L'aveuglement est un autre des thèmes principaux de l'œuvre, puisque pas moins de trois de ses personnages en souffrent. Étant donné sa propension à prendre pour référence ses lectures sentimentales, Emma compte bien sûr parmi eux. Elle manque en effet dangereusement de clairvoyance en ce qui concerne les choses de l'amour quand elle pense qu'elles peuvent s'affranchir des contingences du quotidien et que la félicité peut être éternelle. Mais là ne réside pas sa seule méprise, car la jeune femme est également dépourvue de discernement à l'égard d'elle-même et de son mari. Elle ne voit pas ce qu'il y a d'avilissant à se rendre chez Rodolphe pour lui réclamer de l'argent, alors même qu'il l'a abandonnée lâchement et qu'elle l'en a tant haï. Elle ne réalise pas non plus immédiatement combien Charles est médiocre, ainsi qu'en témoigne l'extrait suivant, relatif à la prise de conscience qui l'agite suite à l'opération ratée d'Hippolyte :

> « Emma, en face de lui, le regardait ; elle ne partageait pas son humiliation, elle en éprouvait une autre : c'était de s'être imaginé qu'un pareil homme pût valoir quelque chose [...]. » (p. 245)

L'émotivité, l'inconscience, le refus de la réalité, toutes ces particularités s'additionnent jusqu'à décupler la cécité d'Emma. La jeune femme n'est pourtant pas le seul personnage à présenter cette caractéristique. En effet, le manque de perspicacité est avant tout le propre de Charles. Le pauvre bougre ne perçoit rien des motivations et des sentiments réels de son entourage au point d'en être perpétuellement la dupe. La preuve en est qu'il pousse toujours son épouse dans les bras des hommes qu'elle aime et qui la désirent. Après que Rodolphe ait offert de lui prêter un cheval pour des balades fortifiantes, avec l'arrière-pensée de la conquérir à leur occasion, il l'interroge en ces termes révélateurs : « Pourquoi n'acceptes-tu pas les propositions de M. Boulanger, qui sont si gracieuses ? » (p. 212) La manœuvre dissimulée sous la bonne intention lui échappe, tout comme le subterfuge dont use Léon à Rouen afin de s'assurer qu'Emma y reste seule encore quelques jours. Charles est si aveugle qu'il en devient pathétique. En découvrant la lettre de rupture de Rodolphe, ne va-t-il pas jusqu'à se laisser tromper par son ton respectueux ? Il n'a d'ailleurs qu'un seul éclair de lucidité, à la toute fin du roman, lorsqu'il affirme que le suicide d'Emma est « la faute de la fatalité » (p. 440). Auparavant, il est incapable de percer quoi que ce soit à jour, comme le démontre le passage suivant :

> « Emma, quelquefois, lui rentrait dans son gilet la bordure rouge de ses tricots [...] ; et ce n'était pas, comme il croyait, pour lui ; c'était pour elle-même, par expansion d'égoïsme, agacement nerveux. » (p. 97)

Le troisième personnage à s'abuser, enfin, est M. Homais. Bien qu'il ne doute pas une seconde de sa sagacité, le pharmacien se méprend lui aussi passablement sur le comportement de ses voisins. Il est ainsi persuadé que Léon et Justin, son petit aide, convoitent Félicité, la domestique des Bovary, alors qu'ils sont tous deux épris d'Emma.

LES MŒURS DE PROVINCE

La province occupe une place primordiale dans *Madame Bovary* – en témoigne d'ailleurs le sous-titre balzacien de l'œuvre, *Mœurs de province* –, car elle constitue le cadre spatial de l'intrigue. Gustave Flaubert se proposant, au travers de son roman, de sonder l'ennui, il décide logiquement d'ancrer son histoire dans un lieu qui puisse en être le terreau réaliste. Ce lieu n'est autre que la campagne normande. Aucune particularité ne le distingue, sinon son extrême banalité. Seuls ses habitants font donc son intérêt. Ils offrent au lecteur un tableau édifiant de la société rurale sous la monarchie de Juillet (1830-1848), l'échantillonnage qu'ils composent englobant en effet l'intégralité de ses classes.

L'aristocratie est représentée par les invités du marquis d'Andervilliers, à l'occasion du bal donné par ce dernier, tandis que la paysannerie l'est par les convives des Bovary, à l'occasion de leurs noces. Mais la caste la plus évoquée est sans conteste la bourgeoisie. Elle offre à Flaubert, qui la méprise bien qu'il lui appartienne, le prétexte d'égratigner sa médiocrité. Ses personnifications sont le curé Bournisien, plus occupé à sermonner Hippolyte, alors gagné par la gangrène, qu'à le réconforter, le marchand de nouveautés Lheureux, usurier obséquieux et dénué de scrupules, et enfin, Charles, dont la platitude fait écho à celle de son environnement. Bornée, intéressée, assommante, la bourgeoisie apparaît également d'un conformisme ridicule. La tenue portée par Rodolphe le jour des comices l'indique. Elle trahit une originalité de façade qui relève de la pose plutôt que d'une réelle singularité :

> « [Sa toilette] avait cette incohérence de choses communes et recherchées, où le vulgaire, d'habitude, croit entrevoir la révélation d'une existence excentrique, les désordres du sentiment, les tyrannies de l'art, et toujours un certain mépris des conventions sociales, ce qui le séduit ou l'exaspère. » (p. 190)

L'esprit bourgeois est aussi dénoncé par le biais d'un autre personnage, à savoir Léon Dupuis. Le jeune homme est, à l'instar de Rodolphe, d'une coquetterie affectée. Surtout, il renonce à sa passion pour Emma et à ses élans romantiques afin de ne pas compromettre son avenir professionnel. Le narrateur en conclut d'ailleurs, narquois, que « chaque notaire porte en soi les débris d'un poète » (p. 370). Mais, bien plus que de servir uniquement la peinture de cet esprit, le thème de la province permet aussi d'aborder en filigrane la question sociologique des rapports de classes. Le passage éloquent sur les comices d'Yonville en fournit la preuve. L'événement agricole est ponctué par une remise de prix, au cours de laquelle la domestique Catherine Leroux est récompensée pour 54 ans de service dans la même ferme. Son portrait est un morceau de bravoure, dont les phrases finales sont particulièrement révélatrices de l'oppression à l'œuvre :

> « C'était la première fois qu'elle se voyait au milieu d'une compagnie si nombreuse ; et intérieurement effarouchée par les drapeaux, par les tambours, par les messieurs en habit noir et par la croix d'honneur du conseiller, elle demeurait tout immobile [...]. Ainsi se tenait, devant ces bourgeois épanouis, ce demi-siècle de servitude. » (p. 204-205)

LA BÊTISE HUMAINE

De manière plus générale, Gustave Flaubert délivre une représentation sans concession de la société de son temps dans *Madame Bovary*, car il ne s'y attaque pas qu'à la médiocrité de la petite bourgeoise. En effet, il met également à mal l'un de ses symptômes, à savoir la bêtise. Ainsi, l'un des personnages du roman s'impose-t-il comme son parangon. Il s'agit bien évidemment de M. Homais. Véritable addition de défauts, le pharmacien est par excellence un type littéraire. Il est d'un pédantisme exécrable, puisqu'il ne perd jamais une occasion d'étaler sa science. Il est aussi d'une fatuité ridicule, puisqu'il se rengorge d'un amour du progrès et d'un anticléricalisme très conventionnels. Il se définit d'ailleurs si bien par elle qu'aucune particularité physique ne le caractérise sinon celle-ci : « Sa figure n'exprimait rien que la satisfaction de soi-même. » (p. 112) Partant, il incarne à lui seul l'esprit imbécile du XIXᵉ siècle. Qu'il ne manque pas de mentionner son mémoire sur le cidre dans l'un de ses articles pour *Le Fanal de Rouen,* qu'il pousse Hippolyte à se faire opérer avec l'espoir de voir rejaillir sur lui le succès de l'entreprise ou qu'il déclare à Léon que « l'Allemande [est] vaporeuse, la Française libertine, l'Italienne passionnée » (p. 359), ses actes comme ses propos trahissent toujours un crétinisme crasse. Le fait est d'autant plus vrai qu'ils sont empreints de suffisance, comme en témoigne la riposte suivante, par laquelle il soutient s'y connaître en agriculture :

> « Certainement, je m'y entends, puisque je suis pharmacien, c'est-à-dire chimiste ! Et la chimie, madame Lefrançois, ayant pour objet la connaissance de l'action réciproque et moléculaire de tous les corps de la nature, il s'ensuit que l'agriculture se trouve comprise dans son domaine ! » (p. 185)

Et la réplique ne s'arrête pas là. L'homme renchérit, intarissable sur ses connaissances. Pourtant, il prescrit à l'aveugle qui mendie sur la route de Rouen un traitement inefficace et préconise, au moment de l'agonie d'Emma, d'analyser le poison qu'elle a ingurgité plutôt que de le lui faire rendre. Les deux exploits, qui démentent de manière implacable ses compétences, signent définitivement sa bêtise. Loin de n'être qu'absurde, celle-ci confine à l'odieux lorsqu'il écrit un article fielleux contre le pauvre gueux afin de faire oublier son échec. Elle constitue donc le tout de son être. Mais l'ineptie n'en est pas moins personnifiée par d'autres individus au sein de l'œuvre, notamment par le curé Bournisien et par le Dʳ Canivet. Le premier s'illustre en polémiquant sur des questions de religion lors de la veillée funèbre d'Emma, tandis qu'il est précisé, à propos du second, que « l'univers aurait pu crever jusqu'au dernier homme, qu'il n'eût pas failli à la moindre de ses habitudes » (p. 243). Un comble pour un médecin ! La bêtise, qui imprègne chaque page de *Madame Bovary*, apparaît si puissante qu'elle triomphe sans surprise à la fin. En effet, Homais, doublement avalisé, parvient à évincer les successeurs de Charles :

> « [...] M. Homais les a tout de suite battus en brèche. Il fait une clientèle d'enfer ; l'autorité le ménage et l'opinion publique le protège. Il vient de recevoir la croix d'honneur. » (p. 441)

STYLE ET ÉCRITURE

LE POIDS DE LA DESCRIPTION

Roman de la médiocrité, *Madame Bovary* rompt avec le genre littéraire auquel il appartient. En effet, l'action dramatique y est à peu
près inexistante, les péripéties et les rebondissements absents. La raison en est l'objectif que s'assigne Gustave Flaubert au moment de
sa rédaction. Allant à contre-courant de la tradition, l'auteur désire
y observer la vie et en exposer la pleine vérité, plutôt que d'y relater
des aventures extraordinaires. Il accorde donc logiquement une place
importante à la description, tellement importante d'ailleurs que le
reproche lui en a été fait. Celle-ci peut être accessoire, voire gratuite,
dès lors qu'elle n'est qu'un intermède obligé dans le récit, utile seulement à planter un décor. Mais elle peut aussi être éclairante, voire
révélatrice, dès lors qu'elle raconte quelque chose des personnages
et de leur existence.

Or Gustave Flaubert s'ingénie justement à donner un tel pouvoir à ses
peintures, comme le prouvent celle de la ferme des Bertaux, maison
d'enfance d'Emma, et celle de l'intérieur de la maison de la mère
Rollet. Conformément à sa volonté d'atteindre au vrai, il utilise la
première pour étoffer le portrait de son héroïne et la seconde pour
rendre compte des conditions dans lesquelles vit la nourrice de la
petite Berthe. Aussi les émaille-t-il l'une et l'autre d'indices signi-
ficatifs. La « tête de Minerve au crayon noir, encadrée de dorure »
(p. 39), qui agrémente l'appartement du père Rouault, trahit le fait
que sa fille a reçu une éducation soignée, réservée à l'époque aux
demoiselles de la bonne société. Elle manifeste aussi qu'un certain
goût du raffinement l'habite depuis toujours et que, partant, il la
définit. Le « lit sans rideaux », la vitre « raccommodée avec un soleil

de papier bleu » et la « cheminée poudreuse » (p. 134-135) du modeste logis de la mère Rollet, quant à eux, accusent de manière éloquente son dénuement.

Gustave Flaubert cisèle si bien ses descriptions dans *Madame Bovary* qu'elles en deviennent de véritables morceaux d'anthologie. Il en est ainsi du portrait de Catherine Leroux, la vieille domestique récompensée lors des comices d'Yonville, dont le « maintien craintif », les « pauvres vêtements », le visage « plus plissé de rides qu'une pomme de reinette flétrie » et les mains « encroûtées, éraillées, durcies » (p. 204-205) traduisent avec une force rare l'accablement par le labeur de la ferme. Il en est également ainsi de l'évocation de la casquette du jeune Charles Bovary. L'objet, « une de ces coiffures d'ordre composite », « une de ces pauvres choses, enfin, dont la laideur muette a des profondeurs d'expression comme le visage d'un imbécile » (p. 24), acquiert une dimension symbolique essentielle sous la plume de l'écrivain. En accumulant les détails discordants, celui-ci s'éloigne du réalisme pur pour céder à la poésie et appuyer le ridicule intrinsèque de son propriétaire.

Mais la description, chez Flaubert, loin de n'être révélatrice que d'une appartenance sociale ou d'un trait de caractère, l'est aussi des mouvements de l'âme des personnages. Le procédé est perceptible dans le passage ci-dessous, extrait du tableau romantique qui suspend le récit du dernier rendez-vous entre Emma et Rodolphe, avant leur fuite. En effet, l'image du « rideau noir », à laquelle s'ajoutent plus loin celles du « serpent sans tête » et du « monstrueux candélabre », tout comme la mention faite au « vide » reflètent la peur indicible de la jeune femme face à l'avenir :

> « [La lune] montait vite entre les branches des peupliers, qui la cachaient de place en place, comme un rideau noir, troué. Puis elle parut, éclatante de blancheur, dans le ciel vide qu'elle éclairait [...]. » (p. 261)

LE SOIN DU DIALOGUE

Orfèvre de la description, Gustave Flaubert est aussi celui du dialogue, en raison de l'égal souci qu'il a du vrai et du beau. Il est animé simultanément par la volonté de coller à l'expression des individus, de ne pas trahir la manière triviale dont ils parlent, et par le désir de composer, malgré tout, des répliques harmonieuses. Compte tenu de ce double impératif, l'exercice représente un écueil et nécessite un travail considérable. L'écrivain chasse la moindre dissonance en soumettant chaque phrase à l'épreuve du « gueuloir », pratique qui consiste à la lire à haute voix dans la solitude de son cabinet d'écriture pour mieux en éprouver la musicalité. S'il achoppe sur un mot ou sur le rythme, alors il la remodèle. C'est au prix d'un tel effort qu'il parvient à offrir des échanges qui portent les marques de leur locuteur autant que de l'exigence littéraire.

Au sein du roman, les dialogues se distinguent par leur platitude, car ils servent à dénoncer la vacuité des propos tenus et le conformisme des idées qui y sont véhiculées. Le fait concerne notamment le verbiage de M. Homais, grand phraseur devant l'éternel, comme en témoigne sa réponse à un Charles inquiet de savoir si Léon s'accoutumera à Paris :

> « – Allons donc ! dit le pharmacien en claquant de la langue, les parties fines chez le traiteur ! les bals masqués ! le champagne ! tout cela va rouler je vous assure. » (p. 169)

Souvent vides, les échanges révèlent l'inconsistance des personnages qui les énoncent. Mais ils peuvent également souligner l'abîme qui les sépare. Cela vaut par exemple pour le tête-à-tête entre Emma et Rodolphe, au cours duquel elle l'assaille de ses questions romanesques, tandis qu'il lui rétorque dans un rire : « Crois-tu m'avoir pris vierge ? » (p. 253) La vulgarité de la réponse dénote la vision purement physique qu'il a de leur relation et son mépris à l'égard du ressenti de sa maîtresse, beaucoup moins terre à terre que lui. Le fossé entre eux apparaît alors infranchissable. Il n'en a pourtant pas toujours été ainsi. En effet, bien avant cet épisode, Gustave Flaubert montre aussi l'inéluctable du rapprochement des deux jeunes gens par le biais du dialogue. Il les fait converser ensemble dans la scène des comices agricoles tout en juxtaposant, en contre-point de leurs propos, des fragments de l'allocution prononcée par le conseiller de préfecture présent à l'événement (p. 194-202). Il les isole de la sorte du reste de l'assistance et appuie le lien qui les unit déjà, tout en stigmatisant le jeu de séduction de Rodolphe. Il pro-cède de même lors de la première rencontre d'Emma et de Léon : il les place l'un et l'autre dans une discussion à quatre, avec Charles et M. Homais, et alterne si bien les répliques qu'elle tourne en un bavardage exclusif (p. 120-125). Il rend sensible, au moyen de ce pro-cédé, leurs affinités et annonce leur amour à venir. Partant, bien que relativement rare, le discours direct occupe une fonction essentielle dans *Madame Bovary*.

LE DOGME DE L'IMPERSONNALITÉ

Lorsqu'il entreprend la rédaction de *Madame Bovary*, Gustave Flaubert souhaite rompre avec le lyrisme dont il teintait ses précé-dentes œuvres. C'est pourquoi il choisit de traiter un sujet commun, éloigné de ses préoccupations intimes. En effet, en optant pour l'histoire d'une femme adultère, totalement étrangère à lui, il est obligé de renoncer à l'expression de son individualité et de s'essayer à un style plus neutre. Il attache tant d'importance à cette neutralité que, radical, il cède au dogme de l'impersonnalité. Il satisfait ainsi pleinement à l'aspiration conjointe qu'il a d'appliquer la rigueur de la science à la littérature. À l'image du chercheur, il lui faut rendre compte objectivement de ses observations pour atteindre la vérité. Il se force donc à être impartial, à ne pas juger ses personnages et à s'effacer au maximum derrière eux. En somme, il se contraint à ne pas intervenir dans la narration. Il s'échine avec une telle application à respecter ces préceptes qu'il en est presque absent. Mais, les exceptions confirmant la règle, sa présence s'y fait néanmoins sentir une fois. Suite à l'échange manqué entre Emma et Rodolphe, le narrateur éclaire la goujaterie de l'amant face à l'épanchement amoureux de sa maîtresse et expose par la même occasion son opinion sur l'insuffisance du langage :

> « Parce que des lèvres libertines ou vénales lui avaient murmuré des phrases pareilles, il ne croyait que faiblement à la candeur de celles-là ; [...] comme si la plénitude de l'âme ne débordait pas quelquefois par les métaphores les plus vides, puisque personne, jamais, ne peut donner l'exacte mesure de ses besoins [...], et que la parole humaine est comme un chaudron fêlé où nous battons des mélodies à faire danser les ours, quand on voudrait attendrir les étoiles. » (p. 253)

La remarque est loin d'être anodine, car elle justifie le choix esthétique de Flaubert de renoncer à un lyrisme que l'inadéquation des mots aux sentiments rend nécessairement stérile. L'auteur, très conscient de cette inadéquation, préfère laisser la place aux impressions et aux émotions de ses personnages. Il recourt ainsi à l'imparfait, temps de l'intériorité par excellence, et aux verbes de sensation, comme dans le passage où le lecteur découvre Emma au travers du regard subjugué de Charles : « Elle souriait [sous son ombrelle] à la chaleur tiède ; et on entendait les gouttes d'eau, une à une, tomber sur la moire tendue. » (p. 41) Mais il emploie avant tout le style indirect libre, qui permet de fondre les voix du narrateur et des personnages et, donc, d'embrasser leur subjectivité. Il use notamment de ce procédé pour composer des scènes de rêveries, comme le prouve l'extrait suivant, pensée amère de l'héroïne sur son mari : « Tous [les hommes], en effet, ne ressemblaient pas à celui-là. Il aurait pu être beau, spirituel, distingué, attirant [...]. » (p. 76)

Il résulte d'un tel parti pris que tout ou presque, au sein du roman, est décrit du point de vue d'Emma, de Charles, de Léon ou de Rodolphe.

LE GLACIS DE L'IRONIE

Bien qu'il aspire à l'impersonnalité, Gustave Flaubert n'en colore pas moins les pages de *Madame Bovary* d'une tonalité ironique. C'est qu'il méprise le monde petit-bourgeois qu'il dépeint et qu'il ne désire pas laisser d'ambiguïté quant à l'interprétation à donner à son œuvre. Il s'agit d'une critique de l'esprit de son temps, au lecteur toutefois d'en venir lui-même à cette conclusion avec les indices dont il dispose. Aucun des personnages, du plus important au plus insignifiant, aucun de leurs comportements ni de leurs propos n'échappent ainsi à la moquerie. Le professeur du jeune Charles, présent uniquement au premier chapitre, est qualifié d'« homme d'esprit » (p. 24) alors qu'il se plaît à le ridiculiser par un piètre jeu de mots sur sa casquette. La formule ne manque pas de dénoncer sa bêtise, puisqu'elle le décrit sous un angle qui ne peut être que dévalorisant au regard de son attitude. M. Homais, cible de choix, est en ce qui le concerne raillé au travers de ses bavardages. Dans la scène de la visite de la filature de lin, il s'emballe en ces termes, rapportés au discours indirect : « Il expliquait à *la compagnie* l'importance future de cet établissement, supputait la force des planchers, l'épaisseur des murailles [...]. » (p. 145) Or ses paroles contrastant radicalement avec la triste réalité du bâtiment, détaillée auparavant, leur dérisoire emphase n'en ressort que plus nettement.

Si Gustave Flaubert laisse deviner la bêtise du pharmacien au moyen de l'ironie, il se sert d'abord du procédé pour condamner le grotesque des lectures et des rêveries romanesques d'Emma, comme celles de Léon. Les premières sont ramenées à leur banalité par une association de mots révélatrice. Il est en effet précisé qu'avec elles Emma

« s'éprit de choses historiques, rêva bahuts, salle des gardes et ménestrels » (p. 66). L'opposition entre la grandeur que suppose l'adjectif « historiques » et la bassesse qu'implique le terme « bahuts », employé au sens de « coffres de voyage », déprécie immanquablement les livres qui les mêlent l'une à l'autre, en soulignant avec humour leur absurde prétention. Les rêveries de Léon sont, quant à elles, réduites à leur pauvreté par une juxtaposition édifiante. La phrase suivante, qui évoque les images projetées par le jeune homme sur Emma, en est la preuve : « Il retrouvait sur ses épaules la couleur ambrée de *l'odalisque au bain* ; [...] elle ressemblait aussi à la *femme pâle de Barcelone*, mais elle était par-dessus tout Ange ! » (p. 342) Ces images ne sont que de simples emprunts au romantisme, comme l'indique l'usage de l'italique, et donc des clichés. Elles s'enchaînent, en outre, de manière saugrenue puisqu'elles associent au même teint le doré et le blanc. Elles aboutissent enfin à une exagération comique, que traduit l'exclamation. Elles sont ainsi clairement, bien qu'implicitement, mises à distance par le narrateur.

LA RÉCEPTION DE
MADAME BOVARY

LA SANCTION DU POUVOIR

En 1856, lorsque *Madame Bovary* paraît, la France est sous le joug de Napoléon III. Les libertés publiques sont réduites à peau de chagrin, la presse fait l'objet d'un contrôle strict, les magistrats se sont mués en valets du pouvoir, la justice se rendant au nom de l'empereur. L'influence de l'Église, en outre, pèse si lourdement sur la société qu'il règne un climat d'ordre moral oppressant. Compte tenu de l'autoritarisme ambiant, la censure s'impose comme un recours ordinaire et s'applique de manière draconienne. Elle permet de sanctionner la licence aussi bien que de museler l'opposition. Or l'œuvre de Flaubert est publiée dans *La Revue de Paris*, un périodique sous haute surveillance parce que d'obédience libérale. Les multiples coupures auxquelles la soumet le comité éditorial, pour des raisons de convenances, attirent sur elle l'attention d'un gouvernement depuis longtemps désireux d'interdire ce journal jugé subversif. Insuffisantes de son point de vue, elles le conduisent à intenter un procès en correctionnelle à l'auteur.

L'accusation mise à sa charge, le 29 janvier 1857, est l'offense aux morales publique et religieuse. Une scène, indécente selon le puritanisme du siècle, la nourrit plus particulièrement : celle du fiacre. L'avocat impérial Ernest Pinard argue, dans son réquisitoire, qu'elle outrepasse les limites de la bienséance. Mais il réprouve de manière plus générale la crudité du style et l'absence de condamnation explicite du comportement d'Emma, qu'aucun autre personnage ne contrebalance. Il traduit ainsi la peur sous-jacente de la société face à la possible émancipation des femmes et à son corollaire, à savoir la dissolution de la famille, considérée comme un pilier majeur. L'avocat de la défense, maître Antoine Senard, répond aux attaques formulées par une brillante plaidoirie, qui tend à démontrer au contraire la dimension édifiante de *Madame Bovary*. Il offre alors la victoire à son client. Gustave Flaubert est en effet acquitté le 7 février 1857, tout comme ses coaccusés, Léon Laurent-Pichat et Auguste Pillet, respectivement directeur et imprimeur de *La Revue de Paris*.

UNE CRITIQUE DIVISÉE

Le parfum de scandale qui entoure *Madame Bovary*, en raison du procès dont le roman a fait l'objet, attise la curiosité du public. Mise sous le feu des projecteurs, l'œuvre, publiée dès avril 1857 chez Michel Lévy, se vend à quelque 15 000 exemplaires en deux mois seulement. Mais le succès populaire ne reflète pas le succès critique. La presse, en effet, n'épargne pas Gustave Flaubert. Elle lui reproche, selon les opinions qui s'y expriment, le réalisme de ses descriptions, leur trop grand nombre, l'absence de personnage positif, l'immoralité de l'héroïne ou encore le manque de parti pris. Elle lui dénie enfin, quand elle se fait violente, le droit de prétendre à l'art au prétexte que l'auteur semble se complaire dans l'insensibilité et dans l'ordure. Les griefs rejoignent donc ceux exprimés par le ministère public à son encontre. Ils trahissent une incompréhension à l'égard de sa radicale modernité. Toutes les voix qui les énoncent ne sont cependant pas si tranchées et si peu clémentes. D'aucunes se montrent plus nuancées.

Les écrivains Charles Augustin Sainte-Beuve (1804-1869) et Jules Amédée Barbey d'Aurevilly (1808-1889) comptent parmi ces voix. Certes, le premier blâme Gustave Flaubert pour la crudité de son écriture, allant même jusqu'à souligner sa cruauté. Mais il loue, parallèlement, son aptitude à composer un roman qui respecte à la perfection le dogme de l'impersonnalité. Le second, quant à lui, déplore également sa froideur. Toutefois, il lui reconnaît l'objectivité de ses analyses. D'autres qu'eux, encore, sont nettement plus élogieux. C'est le cas de Charles Baudelaire (1821-1867), qui célèbre sans détour l'exactitude et la subtilité de son style, ainsi que son habilité à mêler l'exaltation à la trivialité. Victor Hugo en personne, enfin, lui envoie une lettre par l'intermédiaire de laquelle il salue la beauté de son roman et lui signifie son importance dans le paysage littéraire de l'époque. Bien que loin de faire l'unanimité, *Madame Bovary* n'en reçoit donc pas moins l'hommage de grands noms, qui ont eu l'intelligence de ne pas s'arrêter à des questions de morale et qui ont su entrevoir en elle son génie. La postérité leur donnera raison.

LA POSTÉRITÉ DE L'ŒUVRE

Le XXᵉ siècle reconnaît sans ambages le rôle capital de *Madame Bovary* dans l'histoire de la littérature française. À la suite de l'écrivain Marcel Proust (1871-1922), dont la lecture analytique se focalise sur le style de Gustave Flaubert, les critiques y voient le premier des romans modernes. Les raisons avancées pour étayer cette affirmation ne sont autres que la démarche scientifique de l'auteur, son impartialité absolue, son égale quête du beau et du vrai, mais aussi la place qu'il accorde de manière tout à fait novatrice, après Balzac, aux héros ordinaires. L'œuvre est dès lors étudiée dans les établissements scolaires au point de s'imposer comme un classique, qui pénètre l'imaginaire collectif. Le phénomène est amplifié du fait que des réalisateurs de renom s'en emparent pour en proposer leur adaptation cinématographique. Les plus connus d'entre eux sont Jean Renoir (1894-1979), Vincente Minnelli (1910-1986) et Claude Chabrol (1930-2010). Le premier filme son *Madame Bovary* en 1933, tandis que les autres tournent le leur respectivement en 1949 et en 1991.

L'adaptation généralement considérée comme l'une des plus ambitieuses qui existe est celle de Claude Chabrol. Isabelle Huppert (née en 1953), Jean-François Balmer (né en 1946), Christophe Malavoy (né en 1952) et Lucas Belvaux (né en 1961) figurent à son générique, dans les rôles d'Emma, de Charles, de Rodolphe et de Léon. Le cinéaste, qui a toujours aimé poser sur la bourgeoisie de province un regard sarcastique, semblait destiné à porter à l'écran le roman de Gustave Flaubert. Il s'y attache scrupuleusement. Conscient de l'importance du cadre spatial et de la description chez l'écrivain, il tourne en Normandie, dans des décors naturels. Il recourt enfin à une voix off, qui lit de courts extraits issus de l'œuvre. Ce procédé lui permet de donner une place à la subjectivité d'Emma, originellement si importante, autant qu'au génie de l'écriture. À cause de ce parti pris de fidélité, la critique lui a reproché son académisme. Il n'en reste pas moins que son film compte aujourd'hui encore pour le public francophone.

BIBLIOGRAPHIE

SOURCES BIBLIOGRAPHIQUES

- BAUDAT (Thierry), *10 textes expliqués. Flaubert*. Madame Bovary, Paris, Hatier, 1987.
- BIASI (Pierre-Marc de), *Gustave Flaubert : une manière spéciale de vivre*, Paris, Grasset & Fasquelle, 2009.
- BRUNEL (Pierre) *et alii*, « Flaubert (1821-1880) », in *Histoire de la littérature française. XIXe et XXe siècle*, Paris, Bordas, 2001.
- BUISINE (Alain), *Emma Bovary*, Paris, Autrement, 1997.
- DUMESNIL (René), « Flaubert Gustave », in *Le Nouveau Dictionnaire des auteurs*, Paris, Laffont-Bompiani, 1994.
- FLAUBERT (Gustave) et GONCOURT (Edmond et Jules de), *Correspondance*, Paris, Flammarion, 1998.
- FLAUBERT (Gustave) et MAUPASSANT (Guy de), *Correspondance*, Paris, Flammarion, 1993.
- FLAUBERT (Gustave), *Madame Bovary*, Paris, Gallimard, 1972.
- « Flaubert », in *Encyclopédie de la littérature*, Paris, Librairie Générale Française, 2003.
- LOTTMAN (Herbert), *Gustave Flaubert*, Paris, Fayard, 1989.
- RIEGERT (Guy), Madame Bovary. *Flaubert*, Paris, Hatier, 1970.
- TROYAT (Henri), *Flaubert*, Paris, Flammarion, 1988.

SOURCES ICONOGRAPHIQUES

- Extrait du manuscrit de *Madame Bovary*. La photo reproduite est réputée libre de droits.
- GIRAUD (Eugène), *Gustave Flaubert*, vers 1856, huile sur toile, 55 × 45 cm, Versailles, musée national du château de Versailles. La photo reproduite est réputée libre de droits.

- Statue de Gustave Flaubert à Trouville. La photo reproduite est réputée libre de droits.

ADAPTATIONS

- *Madame Bovary*, film de Jean Renoir, avec Valentine Tessier, Pierre Renoir et Max Dearly, France, 1933.
- *Madame Bovary*, film de Vincente Minnelli, avec Jennifer Jones, Van Helflin et Louis Jourdan, États-Unis, 1949.
- *Madame Bovary*, film de Claude Chabrol, avec Isabelle Huppert, Jean-François Balmer et Christophe Malavoy, France, 1991.
- *Madame Bovary*, téléfilm de Tim Fywell, avec Frances O'Connor, Hugues Bonneville et Greg Wise, États-Unis, 2000.

Éditeur responsable : Lemaitre Publishing
Avenue de la Couronne 382 | B-1050 Bruxelles
info@lemaitre-editions.com

ISBN ebook : 978-2-8062-6909-6
ISBN papier : 978-2-8062-6910-2
Dépôt légal : D/2015/12603/398
Couverture : © Lisiane Detaille

Made in the USA
Las Vegas, NV
09 September 2022